Mae'r llyfr

Teulu Miri

hwn yn perthyn i

Seren a Harri a Gwen fach ni,

Teulu Miri, yn union fel chi!

Mae pob dydd yn hwyl a sbri

I Seren a Harri a Gwen fach ni!

Testun © Vivian French 2012
Lluniau © Sue Heap 2012.
Y cyhoeddiad Cymraeg © 2012 Dref Wen Cyf.
Mae Vivian French a Sue Heap wedi datgan eu hawl i gael eu hadnabod fel awdur a darlunydd
y gwaith hwn yn unol â Deddf Hawlfraint, Dyluniadau a Phatentau 1988.

Cedwir pob hawlfraint. Ni chaniateir atgynhyrchu unrhyw ran o'r llyfr hwn
na'i storio mewn system adferadwy na'i drosglwyddo mewn unrhyw ffordd
na thrwy unrhyw gyfrwng electronig, peirianyddol, llungopïo, recordio, nac
unrhyw ffordd arall, heb ganiatâd ymlaen llaw gan y cyhoeddwyr.

Cyhoeddwyd gyntaf yn Saesneg yn 2012,
gan Walker Books Ltd.
dan y teitl *The Buttons Family Going to the Doctor*.
Cyhoeddwyd yn Gymraeg yn 2012 gan Wasg y Dref Wen Cyf.
28 Heol yr Eglwys, Yr Eglwys Newydd, Caerdydd CF14 2EA
Mae'r cyhoeddwr yn cydnabod cefnogaeth ariannol
Cyngor Llyfrau Cymru.
Argraffwyd yn China.

Teulu Miri
Mynd at y Doctor

Vivian French

lluniau gan
Sue Heap

trosiad gan
Elin Meek

DREF WEN

"Mae Seren yn tisian o hyd," meddai Harri.

"Nac ydw ddim," meddai Seren. "Isian," chwarddodd Gwen fach.

"Mae gen i wddw tost," cwynodd Seren.

"Mae e braidd yn goch," meddai Mam. "Mae'n well i ni fynd at y doctor."

YSTAFELL AROS

"Mae doctoriaid yn frawychus," meddai Harri. Ffoniodd Mam y feddygfa wrth i Harri gyfrif sawl gwaith roedd Seren yn tisian.

15! 16!

TISIW

"I ffwrdd â ni," meddai Mam. "Oes RHAID i mi?" gofynnodd Seren.

Gwnaeth Harri a Gwen fach
sŵn ambiwlans yr holl ffordd
i'r feddygfa.

Yn y feddygfa, gofynnodd y ddynes
tu ôl i'r ddesg
iddyn nhw eistedd
yn yr ystafell aros.

"Dyma bresgripsiwn i chi gael moddion.

Dylai Seren ei gymryd dair gwaith y dydd. Dewch 'nôl os na fydd hi'n gwella."

"Ry'n ni'n mynd adref i chwarae bod yn ddoctor," meddai Seren, "a ti fydd yn dost."
Chwarddodd Dr Roberts.

"Gobeithio bydd dy gleifion di cystal â ti!"

"Wyt ti'n gweld?" meddai Seren. "Dyw doctoriaid ddim yn frawychus."

"Pwy ddywedodd eu bod nhw?"
meddai Harri. "Maen nhw'n wych!"
"Isian," meddai Gwen fach, a dyma
hi'n tisian yn uchel.

TISIW